جَوازي صالوْنات

كتبِتْها نورْهان سابِق

My Arranged Marriage

Egyptian Arabic Reader – Book 4

by Nourhan Sabek

lingualism

ISBN: 978-1-949650-14-3

Written by Nourhan Sabek

Edited by Matthew Aldrich

English translation by Mohamad Osman

Cover art by Duc-Minh Vu

Audio by Heba Salah Ali

website: www.lingualism.com

email: contact@lingualism.com

Introduction

The **Egyptian Arabic Readers** series aims to provide learners with much-needed exposure to authentic language. The fifteen books in the series are at a similar level (B1-B2) and can be read in any order. The stories are a fun and flexible tool for building vocabulary, improving language skills, and developing overall fluency.

The main text is presented on even-numbered pages with tashkeel (diacritics) to aid in reading, while parallel English translations on odd-numbered pages are there to help you better understand new words and idioms. A second version of the text is given at the back of the book, without the distraction of tashkeel and translations, for those who are up to the challenge.

Visit the **Egyptian Arabic Readers** hub at **www.lingualism.com/ear**, where you can find:

- **free accompanying audio** to download or stream (at variable playback rates)

- a **guide** to the Lingualism orthographic (spelling and tashkeel) system

- a **forum** where you can ask questions about the vocabulary, grammar, etc. used in the story and help other learners

- a **blog** with tips on using our Egyptian Arabic readers to learn effectively

جَوازي صالوْنات[1]

الكُلّ في البيْت رايِح جايّ، و ماما بِترْتِّب الأطْباق و الكوبّايات لِلضُّيوف اللي هَييجوا. عريس[2] جايّ يِتْقدِّمْلي و أنا مشُفْتوش غيرْ مرّة بسّ في فرح قريبْنا. بابا مِن النّاس اللي تفْكيرْهُم زيّ زمان إنّ مفيش حاجة إسْمها حُبّ قبْل الجَواز و إنّ أهمّ حاجة في الجَواز إنّ الرّاجِل يِكون كُوَيِّس و مُحْترِم.

أنا مليش رأْي زيّ أُخْتي الكِبيرة. اِتْجوِّزت برْضُه واحِد اِخْتارُه بابا.

إحْنا عيْلة مُتَوَسِّطةْ الحال و تقْليدِيّين. حتّى لمّا اِتْحجِّبْت كان بِقرار مِن بابا و ماما إنّ الوَقْت مُناسِب إنّي أتْحجِّب. مِش معْنى كِده إنّي مُعْترِضة على الحِجاب بسّ كُنْت بقول إنّ ده المفْروض يِكون اِخْتِياري و إنّ الوَقْت المُناسِب ده المفْروض يكون مُناسِب لِيّا، مِش لأِهْلي.

"إنْتي لِسّه مخلّصْتيش لِبْس يا هناء!"

ماما كالعادة بِتِسْتعْجِلْني في كُلّ حاجة حتّى اللِّبْس، دايْمًا تِقوليّ إنّي باخُد وَقْت و بطيئة في كُلّ حاجة.

"بخلّص يا ماما."

"طيِّب بِسُرْعة، النّاس على وُصول!"

My Arranged Marriage

Everyone in the house was coming and going, and Mom was organizing the plates and the cups for the guests that were coming. A suitor was coming to propose to me, and I hadn't seen him but once at a relative's wedding. Dad was one of the people whose way of thinking was like times of old. There was no such thing as love before marriage. The most important thing in marriage was the man being nice and respectable.

I had no say in the matter, [just] like my older sister. She also got married to a man chosen by Dad.

We are a middle-class family, and we're traditional. Even when I started wearing the hijab, it was a decision made by Dad and Mom that it was a suitable time for me to wear the hijab. This doesn't mean that I'm against the hijab, but I thought it should have been my decision and that the right time should be right for me and not for my parents.

"You still haven't finished getting dressed, Hana!"

Mom, as usual, rushed me in everything–even in getting dressed–always saying that I take [too much] time and [that I was] slow in everything.

"I'm almost finished, Mom."

"Okay, quickly because the people [the guests] are about to arrive."

---

[1] صالون sitting room is the room for entertaining guests. A home might also have a separate, casual room, صالة or ليڤينج (living room) with a TV. The title of this story includes the expression جَواز صالوْنات arranged marriage (lit. sitting room marriage), which references the customary meeting between two families to agree on and arrange the details of a marriage, as is happening here in our story.

[2] عريس literally translates as groom, but in the context of this story, a more precise translation is suitor, a potential fiancé.

"حاضِر!"[1]

النّاس! عريس معْرفْش عنُّه حاجة غيْر إنُّه مُهنْدِس معْماري و شُغْل كُوَيِّس و عنْدُه شقّة و بابا بِيْقول إنُّه مُحْترِم و إنُّه يعْرف أبو العريس مِن زمان و أصْحاب. حتّى أبو العريس اللي بابا بِيْقول إنُّه صاحْبُه مفْتكِرْش شُفْتُه قبْل كِده، بسّ عُموماً مِش هتِفْرِق أوي. ما دام بابا قرّر يِبْقى مفيش كلام بعْد كلامُه.

"هنا خلّصْتي؟" أُخْتي مرْيَم بِتْنادي عليّا مِن الصّالوْن.

خلّصْت لِبْس و خرجْت. "أَيْوَه يا مرْيَم."

"طيِّب اِدْخُلي المطْبخ اِعْمِلي القهْوَة. فاكْرَة اللي علِّمْتُهولِك؟"

"آه."

"تمام، يَلّا."

مرْيَم و جوْزْها جايِّين عشان يِكونوا معَ بابا لِإِنِّنا ملْناش إخْوات وِلاد. جوْز أُخْتي مُحمّد طيِّب و مُحْترِم و الحمْدُ لِلّه هِيَّ مبْسوطة معاه. عنْدُهُم وَلدِيْن و بِنْت. لمّا بشوفْها بقول: 'يِمْكِن أنا كمان هكون كِده زيّها في يوْم لِإِنّ بابا هُوَّ اللي بِيِخْتار و يِقرّر.' و بقول: 'الحمْدُ لِلّه أهو على الأقلّ الرِّجالة بِتِطْلع فِعْلاً مُحْترِمين.'

"All right!"

The people! A suitor whom I know nothing about except that he is a structural engineer and has a well-paying job and an apartment. Dad says that he's respectable and that he's known the suitor's father for a long time and [that they are] friends. Even the suitor's father, who Dad said was his friend, I can't remember seeing before. Anyway, it didn't matter too much. If Dad made a decision, it was the final word on the matter.

"Hana, are you done?" My sister Mariam called me from the sitting room.

I finished getting dressed and went outside. "Yes, Mariam."

"Okay, go to the kitchen and make the coffee. Remember the one I taught you to make?"

"Yeah."

"Okay, go on."

Maryam and her husband had come to be with Dad because we had no brothers. My sister's husband, Muhammad, was kind and respectable and, Praise be to God, she was happy with him. They had two sons and a daughter. When I saw her, I would think, *Maybe I'll be like her one day because Dad was the one picking and deciding.* And I'd think, *Thank God, at least there some men who turn out to be respectable.*

---

[1] حاضر! is an invariable expression (used by a man or woman) to comply with an order.

دخلْت المطْبخ و أنا بفْتكِر وَقْت لمّا كُنْت في ثانَوي و الجامْعة لمّا كُنْت بحْلم إنّي أبْقى مُخْتلِفة عن أُخْتي و بقيةْ البنات اللي أوّل ما خلّصوا الجامْعة اِتْجوِّزوا و قعدوا في البيْت.

يمْكِن بابا سامحْلي أشْتغل لإنّي كُويِّسة في مجالي و في التّعْليم، عكْس أُخْتي. كانت بِتْذاكِر عشان بسّ تِنْجح و تِخلّص و خلاص.

أمّا أنا كُنْت بحِبّ التّعْليم و كان نِفْسي طول الوَقْت أكون بشْتغل في الترْجمة لإنّي بحِبّ اللُّغات أوي و مِن و أنا صُغيرّة كُنْت بتْعلِّم لُغات و بحِبّ أترْجِمْها و أقْرا بيها. و فِعْلاً دخلْت الكُلّية و كمِّلْت تعْليم في اللُّغة الإنْجِليزية و الفرنْسية، و بعْدها الحمْدُ لِلّه اِشْتغلْت في دار طِباعة مشْهورة بِمُرتّب كُويِّس.

مرْيم علِّمْتِني إزّاي أعْمِل القهْوَة. أنا أصْلاً مِش بعْرف أطْبُخ غيْر شُوَيِّة حاجات بسيطة، لكِن المطْبخ مِش هِوايْتي زيّ مرْيم. مرْيم طبّاخة شاطْرة أوي و زيّ ماما بِتِعْمِل أكْل حِلْو جِدّاً. لكِن أنا مبعْرفْش خالِص أطْبُخ، بسّ هِيَّ جت مِن يوْميْن و فِضْلت تِعلِّمْني أعْمِل القهْوَة التُّركي إزّاي و فِعْلاً اِتْعلِّمْتها بعْد ما تقْريباً باظِت مِنّي أكْتر مِن عشر مرّات.

"هناء، النّاس وِصْلِت!"

I went into the kitchen thinking about when I was in high school and university, when I would dream of being different from my sister and the rest of the girls who, once they finished university, would marry and stay at home.

Maybe Dad let me work because I was good at my specialization and at education, unlike my sister. She would study just to pass and be done with it all.

As for me, I loved education, and I would hope the whole time that I would work in translation because I really love languages. Ever since I was little, I would learn languages, and I loved to translate and read them. Indeed, I entered college and completed my education in English and French, and then, thank God, I got a job with a famous publishing house with a good salary.

Mariam taught me how to make coffee. I actually don't know how to cook [anything] except for a few simple things, but the kitchen was not my hobby like Mariam. Mariam was a very good cook, and like Mom, prepares the food so well. I don't know how to cook at all, but she came two days ago and kept teaching me how to make Turkish coffee, and I actually managed to learn how to do it after I had ruined it more than ten times.

"Hana, the people are here!"

مأخدْتِش بالي إنّ جرس الباب رنّ. كْوَيِّس إنّ ماما دخلِت و قالِتْلي و إلّا القهْوَة كانِت هتْبوظ مِنّي.

"أنا خلّصْت يا ماما."

"طيِّب شْوَيّة و لمّا أناديلِك تُخْرُجي تِقدِّمي القهْوَة لِلضُّيوف."

"حاضِر."

بعْد شْوَيّة ماما نادِت عليّا و خرجْت في إيدي صينيةْ القهْوَة. عيْني في الأرْض مِش عشان مكْسوفة بسّ عشان ماما قالِت المفْروض البِنْت يكون عنْدها حَياء و أنا طول عُمْري بسْمع كلام بابا و ماما في كُلّ حاجة بيْقولوها.

بدأْت أقدِّم القهْوَة لأِهْل العريس. ماما و مرْيَم قالوا إنّ المفْروض و أنا بقدِّم القهْوَة أقدِّمْها لِبابا العريس الأوّل و بعْدها مامْتُه و أُخْتُه و جوْزْها و في الآخِر هُوَّ. و ده اللي بعْمِلُه. قرّبْت مِن بابا العريس و قدِّمْت القهْوَة و بعْدها مامْتُه و أُخْتُه و جوْزْها و في الآخِر هُوَّ. بصّيْت عليْه لإِنّي كُنْت عايْزة أشوف مِن قُرَيِّب مين اللي جايّ يِتْقدِّمْلي. معَ إنّي شُفْتُه في فرح قريبْنا إلّا إنّي مأخدْتِش بالي أوي مِنُّه في الفرح.

I hadn't noticed that the doorbell was ringing. Good thing that Mom had come in and told me. Otherwise, I would have ruined the coffee.

"I'm done, Mom."

"Okay, [wait] a little, and when I call you, come out and serve the guests coffee."

"All right."

After a while, Mom called me, and I went out with a tray of coffee in my hands. My eyes were on the ground, not because I was shy but because Mom said that a girl should have modesty, and I always listened to what Mom and Dad said.

I started serving coffee to the suitor's family. Mom and Maryam said that, while serving the coffee, I was supposed to serve coffee to the suitor's father first, then his mother, [then] his sister, [then] her husband, and at the end [the suitor] himself. And this is what I was doing. I approached the suitor's father and served coffee, and then his mother, sister, and her husband, and in the end himself. I looked at him because I wanted to see from up close who was coming to propose to me. Although I had seen him at our relative's wedding, I hadn't seen him properly at the wedding.

باين عليه كُوَيِّس. طَويل و شعْرُه حِلْو مِتسرّح حِلْو. عيْنُه بُنّي فاتِح و بشْرِتُه نحاسية. و شعْرُه بُنّي غامِق. لابِس بدْلة سوْدا و قميص أبْيَض كِلاسيكي. مِش لاعِب في الألْوان كإنُّه بيْوَصّل انْطِباع إنُّه مِش بيْحِبّ التّغْيير أوْ إنْسان تقْليدي و بيْحِبّ الحاجات الكِلاسيك، معَ إنّ عُمْرُه ٣٥ سنة.

بعْد ما قدِّمْت القهْوَة ليه و هُوَّ ابْتسمْلي، أنا قعدْت في الكُرْسي اللي جنْبُه. ماما وَضّبِت الصّالوْن إنّ الكنبة تيجي في الجنْب الشِّمال و كُرْسِيّيْن جنْبُهُم عشان العريس و أنا، و بقيةْ الكراسي في اليمين عشان بابا و ماما و مرْيَم و جوْزها. و كإنِّنا بِنِعْمِل الخُطوبة مِش مُجرّد طلب لِلجّواز و بسّ!

"دي بِنْتي هناء."

سِمِعْت بابا بِيْقول إسْمي و حبّيْت أعْرف هَيْقول أيْه.

"اِتْخرّجِت مِن سنتيْن و بِتِشْتغل في دار نشْر كِبير مُترْجِمةْ إنْجِليزي و فرنْسي."

"ما شاء الله عليْها زيّ القمر." مامِةْ العريس ردِّت على بابا و بصِّتْلي.

و أنا ابْتسمْتِلْها و ردّيْت: "شُكْراً يا **طنْط**[1]."

He looked nice. He was tall, and his hair was nice, combed nicely. His eyes were light brown, and he had a copperish skin tone. His hair was dark brown. He was wearing a black suit and a classic white shirt. He hadn't dabbled too much in colors as though he were sending the message that he didn't like change. Or that he was a traditional person and loved classic stuff, even though he was 35 years old.

After I served him coffee and he smiled at me, I sat in the chair next to him. Mom had organized the sitting room so that the sofa would be on the left side with two chairs next to them for the suitor and me, while the rest of the chairs would be on the right for Dad, Mom, Mariam, and her husband. [It was] as though we had been preparing an engagement ceremony and not just a marriage proposal!

"This is my daughter, Hana."

I heard Dad say my name and was keen to know what he would say.

"She graduated two years ago and is working at a big publishing house as a translator of English and French."

"What God wills [happens], she's [beautiful] like the moon," the suitor's mother responded to Dad and looked at me.

I smiled at her and replied, "Thanks, Auntie."

---

[1] طنط (from the French tante) is a polite form of address to a female acquaintance a generation older, such as a friend's mother.

باين إنّ العيْلة كْوَيِّسة بسّ أنا مِش عارْفة. أنا فاكْرة لمّا كُنْت في الجامْعة هالة صاحْبِتي كانِت دايمًا تِقولّي إنّ حِلْمها إنّها تِتْجوِّز واحِد عنْدُه عربية و شقّة و يِكون مُحْترِم و أهْلُه كْوَيِّسين. و لمّا كُنْت بسْألْها "ليْه كُلّ ده؟"، كانِت تِقولّي إنّ الشّقّة و العربية أساس عشان نِتْنِقِل و نِعيش مِرتاحين، و إنّ الأهْل يِكونوا كْوَيِّسين و حِلْوين عشان إحْنا البنات مِش بِنِتْجوِّز الرّاجِل بسّ، ده احْنا بِناخْدُه بِعيْلْتُه كُلّها، فا لَوْ مكانوش كْوَيِّسين الحَياة مِش هتْكون حِلْوَة.

أنا عارْفة إنّ كلامْها صحّ. لَوْ العيْلة مِش حِلْوَة الحَياة مِش هتْكون حِلْوَة و إحْنا بِنِتْجوِّز عشان نِعْمِل عيْلة و نِكبّرْها، مِش عشان نِعيش لِوَحْدِنا.

أنا طول عُمْري مِش معَ الجَواز بدْري وَلا الجَواز التّقْليدي لكِن لمّا كِبِرْت، فِهِمْت إنّي مِش هَينْفع أخالِف رأْي أهْلي و إنّ في الآخِر هسْمع كلامْهُم زيّ أُخْتي.

"هناء!"

بصّيْت لِماما و هِيَّ بِتْنادي. "نعم يا ماما؟"

"قومي جهّزي الأطْباق لِلضُّيوف."

"حاضِر."

It was evident that the family was good, but I wasn't sure. I remember when I was in university, Hala, my friend, would always say that her dream was that she would marry someone who had a car and an apartment and was respectable, and his family was nice. And when I would ask her why she [wanted] all that, she would tell me that the apartment and the car were the foundation for their transportation and living comfortably; and that the family should be nice and lovely because we as girls don't just marry the man, we also take his family with him, and if they weren't nice, then life wouldn't be good.

I knew that what she had said was right. If the family wasn't good, life wouldn't be nice, and we [girls] would marry to start a family and grow it, not to live on our own.

All my life I wasn't a fan of early marriage or traditional marriage, but when I grew up, I understood that I couldn't object to my parents' opinion and that, eventually, I'd have to listen to them, like my sister.

"Hana!"

I looked at Mom while she was calling. "Yes, Mom?"

"Go and prepare the dishes for the guests."

"All right."

النّهارْده كُلّ الحاجة عليّا، مِن أوّل القهْوَة و تقْديمْها لِلضُّيوف و بعْد كِده الجاتوْه و الحاجة السّاقْعة. مأخدْتِش بالي إمْتى خلّصوا القهْوَة. قُمْت عشان أجهِّز الأطْباق و مرْيَم قامِت معايا. أنا و أُخْتي الفرْق بينّا خمس سِنين بسّ طول عُمْرِنا برِغْم كُلّ خِلافتْنا إلاّ إنّنا أصْحاب و قُريِّبين مِن بعْض أوي.

حضّرْنا أطْباق الجاتوْه و حطّيْت البيبْسي في الكوبّايات و جِبْت صِنية كِبيرة حطّيْت فيها الأطْباق و الكوبّايات.

قدِّمْت لِلضُّيوف الجاتوْه و الحاجة السّاقْعة. و قعدْت تاني مكاني بعْد ما أخدْت طبقي و كوبّايْتي. أنا مِش بشْرب قهْوَة تُرْكي لكِن بحِبّ أنْواع القهْوَة التّانْيَة و بسْتمْتِع بيها و بعْمِلْها في البيْت زيّ النّسْكافيْه[1] و الكابْتْشينو و اللّاتيْه و حتّى القهْوَة السّاقْعة.

و أنا في الثّانَوية كُنْت باكُل حلَويّات كِتير، فا كان وَزْني زايِد شُوَيّة. و رُحْت لِدُكْتور و خسّيْت و مِن ساعِتْها بحاوِل أحافِظ على وَزْني و معَ إنيّ ضعيفة مِن ناحْيِةْ الشُّكولاتة إلاّ إنيّ بقيْت بعْرف أمْسِك نفْسي و أبطّل آكُلْها كِتير.

"إحْنا جايّين نِتْقدِّم لِبِنْتْكو هناء لإبْنِنا خالِد."

Today, everything was on me–first the coffee and serving it to the guests and, after that, the cake and soft drinks. I didn't notice when they had finished the coffee. I got up to prepare the dishes, and Mariam came with me. The [age] difference between us, Mariam and me, was five years, but all our lives, despite our disagreements, we were still friends and were very close to each other.

We prepared the plates of cake, and I poured Pepsi into the glasses and brought a large tray onto which we put the dishes and the glasses.

I served the guests the cake and the soft drinks. I sat down again in my place after I took my plate and my glass. I won't drink Turkish coffee, but I love other kinds of coffee. I would enjoy them and make them at home, like Nescafé, cappuccino, latte, and even iced coffee.

When I was in high school, I would eat a lot of sweets. So, my weight was a little high, and I went to a doctor and lost some weight. Ever since then, I've tried to watch my weight. And even though I have a weakness for chocolate, I've managed to hold myself back and stop eating it too much.

"We have come to present our son, Khaled, to your daughter, Hana."

---

[1] النِسكافيه Nescafé is a popular brand name of instant coffee. Egyptians tend to use this brand name in a generic sense (that is, even if referring to other brands), as they do with Pepsi (to mean 'cola').

سِمِعْت عمّو[1] و هُوَّ بيِطْلُب إيدي مِن بابا و بابا اِبْتسم و قال: "إحْنا يِشرّفْنا إنّ إبْنْكو خالِد يُطْلُب إيد بِنْتِنا هناء."

يا ترى كُلّ البِيوت كِده اللي فيها بنات، يَعْني كُلُّهُم بيِتْجوِّزوا جَواز تقْليدي وَلّا فيه بنات بِتْحِبّ و تِخْتار اللي هتْجوِّزْه؟ مِش عارْفة. بسّ أكيد فيه بنات زيّي كِتير و فيه برْضُه بنات مُخْتلِفين. مِش عارْفة أنْهي أحْسن: اللي بيِتْجوِّزوا جَواز تقْليدي وَلّا جَواز عن حُبّ و اِخْتِيار؟ يمْكِن مفيش أحْسن و أَوْحش في النّصيب و القدر و حسب اِخْتِياراتْنا و تقاليدْنا و ترْبِيِّتْنا.

"بِـما إنِّنا مِتّفْقين، مُمْكِن نِتْكلِّم في طلاباتْكو؟"

مامِةْ خالِد اِتْكلِّمِت و قطعِت أفْكاري شُوَيّة. و أخدْت بالي إنّ بابا وافِق على خالِد خلاص.

"طلباتْنا مِش كِتير..."

طلبات! كُلّ اِتْنين بيِيجوا يِتْجوِّزوا بِيكون فيه طلبات... مِن أَهْل العروسة لِأهْل العريس و العكْس. معْرفْش كِتير عن الحِوار ده لكِن فاكْرة لمّا مرْيَم و مُحمّد اِتْجوِّزوا كُنْت بسْمع طلبات بابا إنّ العريس عنْدُه شقّة و يِجيب الأجْهزة الكهْربائِية و النّجف و أوْضِةْ النّوْم. و العروسة عليْها النُّصّ اللي باقي: الصّالة و الصّالون و الأوْضة التّانْيَة.

I heard Uncle as he was asking Dad for my hand. Dad smiled and said, "We are honored that your son, Khaled, would ask for the hand of our daughter, Hana."

I wonder if all the homes that had girls–do all of them marry in traditional marriages, or were there girls who loved and chose those they would marry? I don't know, but surely there are many girls like me and also girls that were different. I don't know which is better–to marry in a traditional marriage or a marriage out of love and choice. Perhaps neither was better or worse in terms of [one's] lot and destiny. It depends on our choices, traditions, and upbringing.

"Since we are in agreement, may we discuss your requests?"

Khaled's mother spoke and interrupted my thoughts a bit. I noticed that Dad had accepted Khaled already.

"Our requests are not many…"

Requests! [For] each couple that would get married, there would be requests from the bride's family to the groom's family and vice versa. I don't know a lot about this, but I remember when Mariam and Muhammad got married, I would listen to Dad's requests that the groom have an apartment, and he would get the electrical appliances, the chandeliers, and the bedroom. The bride would be responsible for the remaining half: the living room, the sitting room, and the other bedroom.

---

[1] عمّو uncle is polite form of address to a male acquaintance a generation older, such as a friend's father.

و لَوْ الشَّقَّة واسْعة شْوَيَّة بِحمّامينْ و تلات أُوَض هُوَّ بيْجيب الأجْهِزة و النّجف و ياخُد أوْضْتينْ يِجهِّزْهُم و العروسة باقي الشّقّة.

صوْت بابا قطع أفْكاري: "النُّصّ بِالنُّصّ، هُوَّ نُصّ الشّقّة و إحْنا النُّصّ الباقي."

زيّ ما عمل معَ أُخْتي و مُحمّد، هَيعْمِل معايا. مكُنْتِش مِركِّزة أوي في الطّلبات و بصّيْت لِخالِد شْوَيّة و سألْت نفْسي: يا ترى أنا جاهْزة لِلجّواز؟ بايِن عليْه كُوَيِّس و مُحْترم و عيْلْتُه حِلْوَة. حتّى أُخْتُه و جوْزْها كُوَيِّسين. بسّ أنا مِش حاسّة إنيّ جاهْزة لِكُلّ ده، لِجَواز و بيْت و مسْئولية. مِش حاسّة إنيّ جاهْزة أكون أُمّ و أشيل بيْت كامِل زيّ ماما.

أنا لِسّه ٢٥ سنة و دايْماً بقول إنيّ لِسّه طِفْلة. إزّاي فجْأة أكْبر و أتْجوِّز و أتْحمِّل مسْئوليةْ بيْت لِوَحْدي؟ أنا عارْفة إنيّ مِش هكون لِوَحْدي و خالِد هَيْكون معايا، بسّ يا ترى هُوَّ جاهِز لِلجّواز وَلّا زيّي مِش جاهِز و جايّ عشان أهْلُه اِخْتاروني عروسة ليه؟!

مِش فاكْرة إنيّ سِمِعْتُه بيِتْكلِّم خالِص. يِمْكِن هُوَّ زيّي بيْفكّر و بيِسْمع بسّ!

And if the apartment is somewhat spacious with two bathrooms and three bedrooms, then he would get the appliances and the chandeliers and prepare two rooms, while the bride [would be responsible for] the rest of the apartment.

Dad's voice cut off my thoughts. "Half and half. He [takes] one half of the apartment, and we the other half."

As he did with my sister and Muhammad, he would do with me. I wasn't too focused on the requests and would look at Khaled for some time, and I'd ask myself, I wonder if I'm prepared for marriage? He seemed nice and respectable, and his eyes were pretty. Even his sister and her husband seemed nice. But I didn't feel that I was prepared for all this, for marriage and [owning] a home... and the responsibility! I didn't feel that I was ready to be a mother and be responsible for a whole household like Mom.

I am only 25 years old, and I always say that I am still a kid. How was I suddenly grown up and getting married and carrying the responsibility of a home of my own? I knew that I wouldn't be alone, and Khaled would be with me, but I wondered if he was ready for marriage or [if he was] like me, not ready and had come because his parents had chosen for him a bride.

I don't remember hearing him talk at all–maybe, like me, he was thinking and listening only!

"عمّي أنا جاهز لأيّ طلبات و لَوْ عايزْني أجهِّز الشّقّة كُلّها مفيش مُشْكلة."

خالد اتْكلِّم بعْد ما بابا قال الطّلبات و كانت حاجة حِلْوَة مِنُّه يعْرِض إنُّه يجهِّز الشّقّة كُلّها لكِن بابا قرّر إني أنا و مريَم نِكون زيّ بعْض و مفيش فرْق بيْنّا.

أنا ابْتسمْت لِخالِد لمّا بصِّلي و سألْني بِصوْت واطي: "إنْتي هادْيَة كِده دايماً وَلّا عشان بسّ إحْنا مَوْجودين؟"

أنا في العادة مِش هادْيَة خالِص و بحِبّ أتْكلِّم و أتْعرّف على ناس جديدة، لكِن الوَضْع هِنا مُخْتلف. هِنا خالِد جايّ يِتْقدِّمْلي و أنا مِش عارْفة مُمْكِن نِتْكلِّم في أيْه و يِنْفع أكلِّمُه أصْلاً مِن غيْر ما بابا يِسْمحْلي وَلّا لأ!

"لأ، هُوَّ أنا مِش هادْيَة بسّ مِش عارْفة مُمْكِن نِتْكلِّم في أيْه."

"نِتْعرّف على بعْض، وَلّا أيْه رأْيَك يا عمّي؟" خالِد سأل بابا و كإنُّه قرا أفْكاري و إنُّه المفْروض بابا يِسْمحْلِنا نِتْكلِّم سَوا الأوِّل.

"المفْروض تِتْكلِّموا و تِتْعرّفوا على بعْض أكْتر." بابا ضِحِك.

"الواضِح إنّها مكسوفة مِنّنا." أُخْت خالد ضِحْكِتْلي.

"My Uncle, I'm prepared for any requests, and if you want me to prepare the whole apartment, then [I have] no problem." Khaled spoke after Dad had said the requests, and it was nice of him to offer to prepare the whole apartment, but Dad decided that Mariam and I should be like each other, with no difference between us."

I smiled at Khaled when he looked at me and asked me in a low voice, "Are you always this quiet, or is it because we're here?"

Usually, I'm never quiet, and I love talking and getting to know new people, but the situation here was different. Here Khaled had come to propose to me, and I didn't know what we could talk about, and whether or not I could even talk to him without Dad giving me permission to!

"No, I'm not quiet. It's just I don't know what we can talk about."

"We should get to know each other. What do you think, Uncle?" Khaled asked Dad as if he had read my thoughts, and as if Dad should first give us permission to talk together.

"You're supposed to talk and get to know each other more." Dad laughed.

"It seems that she's shy around us," Khaled's sister grinned at me.

"هيَّ هناء كِده. أوَّل مرَّة تِكون هادْيَة و بعْدها تِشوفوا الكلام بِتاعْها."

ماما ردِّت على أُخْت خالِد و هِيَّ بِتِضْحك و الكُلّ مبْسوط و أنا بحاوِل أبْتِسِم أَوْ أرْسِم ابْتِسامة على وِشّي حتّى لَوْ مِش من جُوّايا.

خالِد رِجِع بصّلي و كلّمْني: "بِتِعْرفي تُطْبُخي يا هناء؟"

و قبْل ما أرُدّ، ماما اتْدخّلِت بِسُرْعة و قالت: "هناء شاطْرة جِدّاً في المطْبخ و بِتْساعِدْني زيّ مرْيَم. البِنْتيْن بِيْحِبّوا الطّبْخ جِدّاً."

بصّيْت لِماما مِسْتغْربة ليْه قالِت كِده و هِيَّ عارْفة إنّي مِش بحِبّ الطّبْخ وَلا بعْرف فيه أصْلاً. فكّرْت يمْكِن هِيَّ قالِت كِده عشان مَيْكونْش عنْدُهم حِجّة يِلْغوا الجَواز. ساعات بفكّر لَوْ قُلْت الحقيقة و هِيَّ إنّي مِش بعْرف أطْبُخ و إنّي هادْيَة يا ترى هَيِتْلِغي الجَواز؟ مِش يِمْكِن أنا عايْزاه يِتْلِغي خالِص و مَتْجوِّزْش؟!

مِش عارْفة. أفْكاري مِلغْبطة و مِش عارْفة أنا حاسّة بِأيْه.

صوْت ماما فوّقْني: " مِش كِده يا هناء؟"

مكُنْتِش مرَكِّزة أوي هِيَّ قالِت أيْه، لكِن وافِقْتها و سِكِتّ تاني.

خالِد كإنُّه أخد بالُه إنّي مِش معاهُم أَوْ إنّي مِش مُوافْقة ماما فعْلاً و قال: "و حتّى يا طنْط لَوْ مِش بِتِعْرف أعلِّمْها أنا."

"Hana is always like that. The first time she's calm, and then you'll see her talk," Mom replied to Khaled's sister as she was laughing. Everyone was happy, while I was trying to smile or draw a smile on my face even if it wasn't authentic...

Khaled then looked at me and said, "Do you know how to cook, Hana?"

And before I replied, Mom quickly jumped into [the conversation] and said, "Hana is very good in the kitchen, and she [always] helps me like Mariam. Both girls love cooking very much."

I looked at Mom, puzzled as to why she would say that even though she knew I didn't like cooking or even knew how really. I thought maybe she said that so they wouldn't have an excuse to cancel the marriage. Sometimes I'd think, if I had told the truth, which was that I didn't know how to cook and that I was quiet, I wonder if the marriage would have been canceled. Isn't it possible that I wanted it to be canceled and not get married?!"

I don't know. My thoughts were all over the place, and I didn't know what I was feeling.

Mom's voice brought me back, "Isn't that right, Hana?"

I wasn't really paying attention to what she had said, but I agreed and went quiet again.

Khaled was as though he'd noticed that I wasn't with them and that I actually wasn't agreeing with Mom and said, "And, Auntie, even if she doesn't know how to, I'll teach her."

بصّيتْله و اِسْتغربْت. راجِل بيِعْرف يُطْبُخ! دي حاجة جِديدة عليّا. كُلّ صحْباتي اللي اِتْجوِّزوا هُمّا اللي بيِتْعلِّموا الطّبْخ أَوْ أصْلاً بيِعْرفوا يُطْبُخوا. لمّا كُنْت بروح أفْراحْهُم كان عنْدي حِلْم إنّ فرحي يِكون مُخْتلِف و إنّي أنا اللي أخْتار اللي هتْجوِّزْه و أكون بحِبُّه لكِن النّصيب كان مُخْتلِف و فكّرْت حتّى لَوْ مخْترْتِش العريس مُمْكِن أخْتار شكْل فرحي يِكون عامِل إزّاي.

"هناء..." خالِد بيِكلِّمْني.

"إنْتي مِش معانا خالِص. بِتْفكّري في أيْه؟"

"مفيش. مِش بفكّر في حاجة مُعيّنة."

"مبْسوطة؟"

"آه."

"أنا عارِف إنِّنا منِعْرفْش بعْض كُوَيِّس، بسّ هنِتْعرّف و هنِتْكلِّم و نِتْقابِل كِتير و هَيْكون فيه خُطوبة و فُرْصة إنِّنا نِعْرف بعْض أكْتر قبْل الجّواز."

"إن شاء اللّه يا خالِد."

I looked at him and was puzzled. A man who knew how to cook! That was something new to me. All my friends who were married had been taught how to cook or already knew how to cook. When I would go to their weddings, I would have a dream that my wedding would be different and that I'd choose whom I'd marry, and I'd love him. However, my destiny was different. I thought, even if I didn't get to choose the suitor, I could [at least] choose what my wedding would look like."

"Hana..." Khaled was talking to me.

"You're not with us at all. What are you thinking about?"

"Nothing. I'm not thinking about anything in particular."

"Are you happy?"

"Yeah."

"I know that we don't know each other too much, but we'll get to know each other and talk and meet a lot, and there'll be an engagement and a chance for us to get to know each other more before marriage."

"God willing, Khaled."

اِبْتسمنا لِبعْض و رِجِع السُّكوت تاني أَوْ على الأقلّ أنا سِكِتّ و سامْعاهُم بيِتْكلِّموا و بيِضْحكوا و مريَم قدِّمِت الشّاي ليهُم. المرّة دي هِيَّ مخلِّتْنيش أقدِّم حاجة. هِيَّ اللي قامِت و عملِت الشّاي و قدِّمْتُه ليهُم.

العيْلْتيْن كُوَيِّسين سَوا و خالِد بايِن عليْه كُوَيِّس و بيِتْكلِّم معايا كُوَيِّس. يمْكِن هُوَّ ده اللي هَيِسْعِدْني و يِخلّيني أعيش حَياة حِلْوَة و أكون مبْسوطة! و يمْكِن الحِوار مِش وِحِش أوي زيّ ما أنا مِتْخيِّلة.

يمْكِن أنا بسّ مِسْتغْربة أَوْ مِش عارْفة حاسّة بأيْه بِظبْط، لكِن اللي عارْفاه إنّي مقْدرْش إنّي أرْفُض ما دام بابا وافِق على خالِد و إنّ يمْكِن النّصيب ده أحْسن مِن غيْرُه!

مِتْخيِّلة في يوْم لَوْ بقيْت أُمّ إنّي هغيرّ شُوَيَّة مِن العادات دي و أخلّي بِنْتي أَوْ إبْني يِخْتاروا اللي هَيِتْجوِّزوهُم و مِش هَيْكون جَواز تقْليدي كِده.

يمْكِن الحُبّ بيِيجي بعْد الجَواز! يمْكِن مفيش فِعْلاً حُبّ قبْل الجَواز زيّ ما بابا بيْقول و إنّ إزّاي هنحِبّ حدّ معاشِرْناهوش وَلا عِشْنا معاه و شُفْنا كُلّ حلاتُه و هُوَّ مِتْعصّب و هادي، و هُوَّ بيِكْرَه و هُوَّ بيْحِبّ، و هُوَّ بيِتْكلِّم، بيْحِبّ أيه و بيِكْرَه أيه؟ بياكُل أيه و يِشْرب أيه؟ كُلّ ده مبيِتْعِرِفْش إلّا لمّا تِعيش[1] معَ الإنْسان ده و تِعاشْرُه.

We smiled at each other, and the silence came back again. Or, at least I was silent and heard them talk and laugh. Maryam served them tea. This time she didn't make me serve anything. She got up and made the tea and served it to them.

The two families were good together, and Khaled seemed nice and was talking to me in a nice way. Perhaps he'd be the one to make me happy and make me live a nice life and [make me] feel pleased! And maybe the idea [of traditional marriage] wasn't so bad as I thought it was...

Maybe I'm just puzzled, or I don't know what I was feeling exactly. But I knew that I couldn't reject [him] so long as Dad had said yes regarding Khaled, and maybe this destiny was the best out of all others!

I imagined that, one day, when I had become a mother, I would change some of these traditions and let my daughter or son choose whom they'd marry, and the marriage wouldn't be so traditional.

Maybe love comes after marriage! Maybe there is actually no love before marriage, as Dad says, and how would we be able to love someone whom we haven't spent a lot of time with or lived with and saw in their entirety–when they're angry, calm, hateful, loving, chatty, their likes and dislikes, what food they like, what drinks they like. All this is unknown until you live with the person and spending a long time with them.

---

[1] Notice this verb is masculine singular, as it refers to an impersonal you.

"على خيرْ و ربّنا يكْرِم وِلادْنا سَوا." عمّو قال لِبابا.

قرّروا و خلاص إنّ أنا و خالد هنتْجوّز. و بابا باين إنُّه مُعْجب بِخالِد أوي و ماما كمان و إنّ عمّو و طنْط مُعْجبين بِيّا. مريَم ضِحْكِت لِيّا و أنا اِبْتسمِت. خِلْصِت الاتِّفاقات اللي غالِباً مسمعْتِش مِنْها حاجة غيرْ قُليِّل و اللي فِهِمْتُه مِن كلام بابا و خالِد إنّ أنا و خالِد هنِتْقابِل في الأجازات عشان نِتْكلِّم و نِعْرف بعْض أكْتر.

"أكيد يا خالِد يابْني، هتِتْقابْلوا و تِتْعرّفوا على بعْض."

"شُكْراً يا عمّي."

بابا بصِّلي و قال: "أيْه رأْيِك يا هناء؟"

اِبْتسمْت و وافِقْت على كلامُه.

"هناء أنا مُنْتظر نِتْكلِّم و نِتْقابِل عشان نِتْعرّف على بعْض أكْتر."

"و أنا كمان يا خالِد." اِبْتسمْتِلُه.

سلِّموا عليْنا و قاموا يِسْتأْذِنوا عشان يمْشوا، و خِلِص يوْم طَويل بعْد ما اِتّفقوا و اِتْرتِّبِت جَوازي مِن خالِد.

"May it be good, and may God honor our children both," Uncle said to Dad.

They decided, and so Khaled and I would get married. Dad seemed to like Khaled a lot, and so did Mom. Uncle and Auntie also seemed to like me. Mariam grinned at me, and I smiled. The agreements were done, most of which I probably hadn't heard anything, except for a few things. What I had understood from Dad's and Khaled's conversation was that Khaled and I would meet on the weekends to chat and know about each other more.

"Of course, Khaled, my son, you will meet and get to know each other."

Thank you, Uncle."

Dad looked at me and said, "What do you think, Hana?"

I smiled and agreed to what he had said.

"Hana, I'm waiting to chat and meet so we could get to know each other more."

"Me, too, Khaled." I smiled at him.

They bid us farewell and got up to leave. A long day was over after they agreed [on its conditions and their requests], and my marriage to Khaled had been arranged.

Arabic Text without Tashkeel

For a more authentic reading challenge, read the story without the aid of diacritics (tashkeel) and the parallel English translation.

الكل في البيت رايح جاي، و ماما بترتب الأطباق و الكوبيات للضيوف اللي هييجوا. عريس جاي يتقدملي و أنا مشفتوش غير مرة بس في فرح قريبنا. بابا من الناس اللي تفكيرهم زي زمان إن مفيش حاجة إسمها حب قبل الجواز و إن أهم حاجة في الجواز إن الراجل يكون كويس و محترم.

أنا مليش رأي زي أختي الكبيرة. اتجوزت برضه واحد اختاره بابا.

إحنا عيلة متوسطة الحال و تقليديين. حتى لما اتحجبت كان بقرار من بابا و ماما إن الوقت مناسب إني أتحجب. مش معنى كده إني معترضة على الحجاب بس كنت بقول إن ده المفروض يكون اختياري و إن الوقت المناسب ده المفروض يكون مناسب ليا، مش لأهلي.

"إنتي لسه مخلصتيش لبس يا هناء!"

ماما كالعادة بتستعجلني في كل حاجة حتى اللبس، دايما تقولي إني باخد وقت و بطيئة في كل حاجة.

"بخلص يا ماما."

"طيب بسرعة، الناس على وصول!"

"حاضر!"

الناس! عريس معرفش عنه حاجة غير إنه مهندس معماري و شغل كويس و عنده شقة و بابا بيقول إنه محترم و إنه يعرف أبو العريس من زمان و أصحاب. حتى أبو العريس اللي بابا بيقول إنه صاحبه مفتكرش شفته قبل كده، بس عموما مش هتفرق أوي. ما دام بابا قرر يبقى مفيش كلام بعد كلامه.

"هناء خلصتي؟" أختي مريم بتنادي عليا من الصالون.

خلصت لبس و خرجت. "أيوه يا مريم."

"طيب ادخلي المطبخ اعملي القهوة. فاكرة اللي علمتهولك؟"

"آه."

"تمام، يلا."

مريم و جوزها جايين عشان يكونوا مع بابا لإننا ملناش إخوات ولاد. جوز أختي محمد طيب و محترم و الحمد لله هي مبسوطة معاه. عندهم ولدين و بنت. لما بشوفها بقول يمكن أنا كمان هكون كده زيها في يوم لإن بابا هو اللي بيختار و يقرر. و بقول الحمد لله أهو على الأقل الرجالة بتطلع فعلا محترمين.

دخلت المطبخ و أنا بفتكر وقت لما كنت في ثانوي و الجامعة لما كنت بحلم إني أبقى مختلفة عن أختي و بقية البنات اللي أول ما خلصوا الجامعة اتجوزوا و قعدوا في البيت.

يمكن بابا سامحلي أشتغل لإني كويسة في مجالي و في التعليم، عكس أختي. كانت بتذاكر عشان بس تنجح و تخلص و خلاص.

أما أنا كنت بحب التعليم و كان نفسي طول الوقت أكون بشتغل في الترجمة لإني بحب اللغات أوي و من و أنا صغيرة كنت بتعلم لغات و بحب أترجمها و أقرا بيها. و فعلا دخلت الكلية و كملت تعليم في اللغة الإنجليزية و الفرنسية، و بعدها الحمد لله اشتغلت في دار طباعة مشهورة بمرتب كويس.

مريم علمتني إزاي أعمل القهوة. أنا أصلا مش بعرف أطبخ غير شوية حاجات بسيطة، لكن المطبخ مش هوايتي زي مريم. مريم طباخة شاطرة أوي و زي ماما بتعمل أكل حلو جدا. لكن أنا مبعرفش خالص أطبخ، بس هي جت من يومين و فضلت تعلمني أعمل القهوة التركي إزاي و فعلا اتعلمتها بعد ما تقريبا باظت مني أكتر من عشر مرات.

"هناء، الناس وصلت."

مأخدتش بالي إن جرس الباب رن. كويس إن ماما دخلت و قالتلي و إلا القهوة كانت هتبوظ مني.

"أنا خلصت يا ماما."

"طيب شوية و لما أناديلك تخرجي تقدمي القهوة للضيوف."

"حاضر."

بعد شوية ماما نادت عليا و خرجت في إيدي صنية القهوة. عيني في الأرض مش عشان مكسوفة بس عشان ماما قالت المفروض البنت يكون عندها حياء و أنا طول عمري بسمع كلام بابا و ماما في كل حاجة بيقولوها.

بدأت أقدم القهوة لأهل العريس. ماما و مريم قالوا إن المفروض و أنا بقدم القهوة أقدمها لبابا العريس الأول و بعدها مامته و أخته و جوزها و في الآخر هو. و ده اللي بعمله. قربت من بابا العريس و قدمت القهوة و بعدها مامته و أخته و جوزها و في الآخر هو. بصيت عليه لإني كنت عايزة أشوف من قريب مين اللي جاي يتقدملي. مع إني شفته في فرح قريبنا إلا إني مأخدتش بالي أوي منه في الفرح.

باين عليه كويس. طويل و شعره حلو متسرح حلو. عينه بني فاتح و بشرته نحاسية. و شعره بني غامق. لابس بدلة سودا و قميص أبيض كلاسيكي. مش لاعب في الألوان كإنه بيوصل انطباع إنه مش بيحب التغيير أو إنسان تقليدي و بيحب الحاجات الكلاسيك، مع إن عمره ٣٥ سنة.

بعد ما قدمت القهوة ليه و هو ابتسملي، أنا قعدت في الكرسي اللي جنبه. ماما وضبت الصالون إن الكنبة تيجي في الجنب الشمال و كرسيين جنبهم عشان العريس و أنا، و بقية الكراسي في اليمين عشان بابا و ماما و مريم و جوزها. و كإننا بنعمل الخطوبة مش مجرد طلب للجواز و بس!

"دي بنتي هناء."

سمعت بابا بيقول إسمي و حبيت أعرف هيقول أيه.

"اتخرجت من سنتين و بتشتغل في دار نشر كبير مترجمة إنجليزي و فرنسي."

"ما شاء الله عليها زي القمر." مامة العريس ردت على بابا و بصتلي.

و أنا ابتسمتلها و رديت: "شكرا يا طنط."

باين إن العيلة كويسة بس أنا مش عارفة. أنا فاكرة لما كنت في الجامعة هالة صاحبتي كانت دايما تقولي إن حلمها إنها تتجوز واحد عنده عربية و شقة و يكون محترم و أهله كويسين. و لما كنت بسألها "ليه كل ده؟"، كانت تقولي إن الشقة و العربية أساس عشان نتنقل و نعيش مرتاحين، و إن الأهل يكونوا كويسين و حلوين عشان إحنا البنات مش بنتجوز الراجل بس، ده احنا بناخده بعيلته كلها، فا لو مكانوش كويسين الحياة مش هتكون حلوة.

أنا عارفة إن كلامها صح. لو العيلة مش حلوة الحياة مش هتكون حلوة و إحنا بنتجوز عشان نعمل عيلة و نكبرها، مش عشان نعيش لوحدنا.

أنا طول عمري مش مع الجواز بدري ولا الجواز التقليدي لكن لما كبرت، فهمت إني مش هينفع أخالف رأي أهلي و إن في الآخر هسمع كلامهم زي أختي.

"هناء!"

بصيت لماما و هي بتنادي. "نعم يا ماما؟"

"قومي جهزي الأطباق للضيوف."

"حاضر."

النهارده كل الحاجة عليا من أول القهوة و تقديمها للضيوف و بعد كده الجاتوه و الحاجة الساقعة. مأخدتش بالي إمتى خلصوا القهوة. قمت عشان أجهز الأطباق و مريم قامت معايا. أنا و أختي الفرق بينا خمس سنين بس طول عمرنا برغم كل خلافتنا إلا إننا أصحاب و قريبين من بعض أوي.

حضرنا أطباق الجاتوه و حطيت البيبسي في الكوبايات و جبت صنية كبيرة حطيت فيها الأطباق و الكوبايات.

قدمت للضيوف الجاتوه و الحاجة الساقعة. و قعدت تاني مكاني بعد ما أخدت طبقي و كوبايتي. أنا مش بشرب قهوة تركي لكن بحب أنواع القهوة التانية و بستمتع بيها و بعملها في البيت زي النسكافيه و الكابتشينو و اللاتيه و حتى القهوة الساقعة.

و أنا في الثانوية كنت باكل حلويات كتير، فا كان وزني زايد شوية. و رحت لدكتور و خسيت و من ساعتها بحاول أحافظ على وزني و مع إني ضعيفة من ناحية الشكولاتة إلا إني بقيت بعرف أمسك نفسي و أبطل آكلها كتير.

"إحنا جايين نتقدم لبنتكو هناء لإبننا خالد."

سمعت عمو و هو بيطلب إيدي من بابا و بابا ابتسم و قال: "إحنا يشرفنا إن إبنكو خالد يطلب إيد بنتنا هناء."

يا ترى كل البيوت كده اللي فيها بنات، يعني كلهم بيتجوزوا جواز تقليدي ولا فيه بنات بتحب و تختار اللي هتجوزه؟ مش عارفة. بس أكيد فيه بنات زيي كتير و فيه برضه بنات مختلفين. مش عارفة أنهي أحسن: اللي بيتجوزوا جواز تقليدي ولا جواز عن حب و اختيار؟ يمكن مفيش أحسن و أوحش في النصيب و القدر و حسب اختياراتنا و تقاليدنا و تربيتنا.

"بما إننا متفقين، ممكن نتكلم في طلاباتكو؟"

مامة خالد اتكلمت و قطعت أفكاري شوية. و أخدت بالي إن بابا وافق على خالد خلاص.

"طلباتنا مش كتير..."

طلبات! كل اتنين بييجوا يتجوزوا بيكون فيه طلبات... من أهل العروسة لأهل العريس و العكس. معرفش كتير عن الحوار ده لكن فاكرة لما مريم و محمد اتجوزوا كنت بسمع طلبات بابا إن العريس عنده شقة و يجيب الأجهزة الكهربائية

و النجف و أوضة النوم. و العروسة عليها النص اللي باقي: الصالة و الصالون و الأوضة التانية.

و لو الشقة واسعة شوية بحمامين و تلات أوض هو بيجيب الأجهزة و النجف و ياخد أوضتين يجهزهم و العروسة باقي الشقة.

صوت بابا قطع أفكاري: "النص بالنص، هو نص الشقة و إحنا النص الباقي."

زي ما عمل مع أختي و محمد، هيعمل معايا. مكنتش مركزة أوي في الطلبات و بصيت لخالد شوية و سألت نفسي: يا ترى أنا جاهزة للجواز؟ باين عليه كويس و محترم و عيلته حلوة. حتى أخته و جوزها كويسين. بس أنا مش حاسة إني جاهزة لكل ده، لجواز و بيت و مسئولية. مش حاسة إني جاهزة أكون أم و أشيل بيت كامل زي ماما.

أنا لسه ٢٥ سنة و دايما بقول إني لسه طفلة. إزاي فجأة أكبر و أتجوز و أتحمل مسئولية بيت لوحدي؟ أنا عارفة إني مش هكون لوحدي و خالد هيكون معايا، بس يا ترى هو جاهز للجواز ولا زيي مش جاهز و جاي عشان أهله اختاروني عروسة ليه؟!

مش فاكرة إني سمعته بيتكلم خالص. يمكن هو زيي بيفكر و بيسمع بس!

"عمي أنا جاهز لأي طلبات و لو عايزني أجهز الشقة كلها مفيش مشكلة." خالد اتكلم بعد ما بابا قال الطلبات و كانت حاجة حلوة منه يعرض إنه يجهز الشقة كلها لكن بابا قرر إني أنا و مريم نكون زي بعض و مفيش فرق بينا.

أنا ابتسمت لخالد لما بصلي و سألني بصوت واطي: "إنتي هادية كده دايما ولا عشان بس إحنا موجودين؟"

أنا في العادة مش هادية خالص و بحب أتكلم و أتعرف على ناس جديدة، لكن الوضع هنا مختلف. هنا خالد جاي يتقدملي و أنا مش عارفة ممكن نتكلم في أيه و ينفع أكلمه أصلا من غير ما بابا يسمحلي ولا لأ!

"لأ، هو أنا مش هادية بس مش عارفة ممكن نتكلم في أيه."

"نتعرف على بعض، ولا أيه رأيك يا عمي؟" خالد سأل بابا و كإنه قرا أفكاري و إنه المفروض بابا يسمحلنا نتكلم سوا الأول.

"المفروض تتكلموا و تتعرفوا على بعض أكتر." بابا ضحك.

"الواضح إنها مكسوفة مننا." أخت خالد ضحكتلي.

"هي هناء كده. أول مرة تكون هادية و بعدها تشوفوا الكلام بتاعها." ماما ردت على أخت خالد و هي بتضحك و الكل مبسوط و أنا بحاول أبتسم أو أرسم ابتسامة على وشي حتى لو مش من جوايا.

خالد رجع بصلي و كلمني: "بتعرفي تطبخي يا هناء؟"

و قبل ما أرد، ماما اتدخلت بسرعة و قالت: "هناء شاطرة جدا في المطبخ و بتساعدني زي مريم. البنتين بيحبوا الطبخ جدا."

بصيت لماما مستغربة ليه قالت كده و هي عارفة إني مش بحب الطبخ ولا بعرف فيه أصلا. فكرت يمكن هي قالت كده عشان ميكونش عندهم حجة يلغوا الجواز. ساعات بفكر لو قلت الحقيقة و هي إني مش بعرف أطبخ و إني هادية يا ترى هيتلغي الجواز؟ مش يمكن أنا عايزاه يتلغي خالص و متجوزش؟!

مش عارفة. أفكاري ملغبطة و مش عارفة أنا حاسة بأيه.

صوت ماما فوقني: " مش كده يا هناء؟"

مكنتش مركزة أوي هي قالت أيه، لكن وافقتها و سكت تاني.

خالد كإنه أخد باله إني مش معاهم أو إني مش موافقة ماما فعلا و قال: "و حتى يا طنط لو مش بتعرف أعلمها أنا."

بصيتله و استغربت. راجل بيعرف يطبخ! دي حاجة جديدة عليا. كل صحباتي اللي اتجوزوا هما اللي بيتعلموا الطبخ أو أصلا بيعرفوا يطبخوا. لما كنت بروح أفراحهم كان عندي حلم إن فرحي يكون مختلف و إني أنا اللي أختار اللي هتجوزه و أكون

بحبه لكن النصيب كان مختلف و فكرت حتى لو مخترتش العريس ممكن أختار شكل فرحي يكون عامل إزاي.

"هناء..." خالد بيكلمني.

"إنتي مش معانا خالص. بتفكري في أيه؟"

"مفيش. مش بفكر في حاجة معينة."

"مبسوطة؟"

"آه."

"أنا عارف إننا منعرفش بعض كويس، بس هنتعرف و هنتكلم و نتقابل كتير و هيكون فيه خطوبة و فرصة إننا نعرف بعض أكتر قبل الجواز."

"إن شاء الله يا خالد."

ابتسمنا لبعض و رجع السكوت تاني أو على الأقل أنا سكت و سامعاهم بيتكلموا و بيضحكوا و مريم قدمت الشاي ليهم. المرة دي هي مخلتنيش أقدم حاجة. هي اللي قامت و عملت الشاي و قدمته ليهم.

العيلتين كويسين سوا و خالد باين عليه كويس و بيتكلم معايا كويس. يمكن هو ده اللي هيسعدني و يخليني أعيش حياة حلوة و أكون مبسوطة! و يمكن الحوار مش وحش أوي زي ما أنا متخيلة.

يمكن أنا بس مستغربة أو مش عارفة حاسة بأيه بظبط، لكن اللي عارفاه إني مقدرش إني أرفض ما دام بابا وافق على خالد و إن يمكن النصيب ده أحسن من غيره!

متخيلة في يوم لو بقيت أم إني هغير شوية من العادات دي و أخلي بنتي أو إبني يختاروا اللي هيتجوزوهم و مش هيكون جواز تقليدي كده.

يمكن الحب بييجي بعد الجواز! يمكن مفيش فعلا حب قبل الجواز زي ما بابا بيقول و إن إزاي هنحب حد معاشرناهوش ولا عشنا معاه و شفنا كل حلاته و هو

متعصب و هادي، و هو بيكره و هو بيحب، و هو بيتكلم، بيحب أيه و بيكره أيه؟ بياكل أيه و يشرب أيه؟ كل ده مبيتعرفش إلا لما تعيش مع الإنسان ده و تعاشره.

"على خير و ربنا يكرم ولادنا سوا." عمو قال لبابا.

قرروا و خلاص إن أنا و خالد هنتجوز. و بابا باين إنه معجب بخالد أوي و ماما كمان و إن عمو و طنط معجبين بيا. مريم ضحكت ليا و أنا ابتسمت. خلصت الاتفاقات اللي غالبا مسمعتش منها حاجة غير قليل و اللي فهمته من كلام بابا و خالد إن أنا و خالد هنتقابل في الأجازات عشان نتكلم و نعرف بعض أكتر.

"أكيد يا خالد يابني، هتتقابلوا و تتعرفوا على بعض."

"شكرا يا عمي."

بابا بصلي و قال: "أيه رأيك يا هناء؟"

ابتسمت و وافقت على كلامه.

"هناء أنا منتظر نتكلم و نتقابل عشان نتعرف على بعض أكتر."

"و أنا كمان يا خالد." ابتسمتله.

سلموا علينا و قاموا يستأذنوا عشان يمشوا، و خلص يوم طويل بعد ما اتفقوا و اترتبت جوازي من خالد.

Egyptian Arabic Readers Series

www.lingualism.com/ear

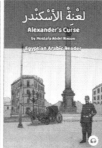

Lingualism
Egyptian
Arabic
Readers
lingualism.com/ear
Egyptian Arabic Reader
كإنّي ببُصّ في المِرايَة
Like Looking in a Mirror
by Nourhan Sabek
لعْنِةْ الأسْكنْدر
Alexander's Curse
by Mostafa Abdel Nasser
Egyptian Arabic Reader
جيتار الحُبّ
The Guitar of Love
by Mohamed Sobhy
Egyptian Arabic Reader
Egyptian Arabic Reader
جَوازي صالوْنات
My Arranged Marriage
by Nourhan Sabek
Egyptian Arabic Reader
سِرّ النّجاح
The Secret of Success
by Mohamed Sobhy
Egyptian Arabic Reader
ميدان التّحْرير
Tahrir Square
by Mohamad Osman
أحْلام صامْتة
Silent Dreams
by Nourhan Sabek
Egyptian Arabic Reader
Egyptian Arabic Reader
الصّيّاد و العُمْلة المعْدنية
The Fisherman and the Coin
by Mohamed Sobhy
ديْل الكَلْب مُمْكِن يتْعِدِل
A Dog's Tale
by Mohamad Osman
Egyptian Arabic Reader
Egyptian Arabic Reader
الصّداقة وَلّا الحُبّ؟
Friendship or Love?
by Nourhan Sabek
Egyptian Arabic Reader
الدّجّال
The Charlatan
by Mohamed Sobhy
شيريهان
Sherihan
by Shaimaa Tarek
Egyptian Arabic Reader
Egyptian Arabic Reader
أمل
Hope
by Nourhan Sabek
في الصّحرا
In the Desert
by Mohamed Sobhy
Egyptian Arabic Reader
المومْيا
The Mummy
by Mohamad Osman
Egyptian Arabic Reader

Made in the USA
Las Vegas, NV
13 June 2021